Y CLWB CYSGU CŴL YN NHŶ ALI

Y CLWB CYSGU CŴL YN NHŶ ALI

CARIAD I NIA'R URDD

Rose Impey
Addasiad Siân Lewis

Argraffiad cyntaf—2000

ISBN 1 85902 811 X

Teitl gwreiddiol: *The Sleepover Club at Frankie's*

Cyhoeddwyd gyntaf ym Mhrydain yn 1997
gan HarperCollins Publishers Ltd.,
77-75 Fulham Palace Road, Hammersmith
Llundain, W6 8JB

Argraffwyd gan
Wasg Gomer, Llandysul, Ceredigion SA44 4QL

Gwahoddiad i aros dros nos yn nhŷ Ali.

Ble? Tŷ Ali wrth gwrs!
17, Cae'r Felin
Heol Pantglas
Tregain
Abertawe

Ar ddydd Sadwrn Medi 21.
Rwyt ti'n dod? Cŵl!
(Dwyt ti ddim? Ffŵl!)

Dere am 4 o'r gloch i weld priodas
y flwyddyn - Mel a Ffi!
Paid ag anghofio dy ddillad priodas.
Bydd y wledd briodas am 5 o'r gloch,
gyda'r parti nos i ddilyn
a lot o hwyl gwyllt, gwallgo!

oddi wrth,

Alwen Mair Tomos

CIT CYSGU CŴL

1. Sach gysgu
2. Gobennydd
3. Pyjamas neu ŵn nos (coban i Sara!), ond mae gŵn nos yn ddrafftlyd ac yn dangos dy ben-ôl pan fyddi di'n gwneud gymnasteg
4. Slipers
5. Brws dannedd, pâst dannedd, sebon ac yn y blaen
6. Tywel
7. Tedi
8. Stori iasoer
9. Bwyd ar gyfer y wledd ganol nos: siocled, creision, losin, bisgedi ac unrhyw fwyd iymi-iymi.
10. Tortsh
11. Brws gwallt
12. Pethau gwallt - bòbl, band gwallt, neu beth bynnag rwyt ti'n wisgo
13. Nicers a sanau glân. A bag drewllyd ar gyfer yr hen rai!
14. Dyddiadur Clwb

I'r briodas:

15. Dillad priodas
16. Camera
17. Confetti

Wel, dere i mewn, os wyt ti'n dod. A 'stedda i lawr. Mae'r Clwb mewn helynt go iawn y tro 'ma. Mewn helynt am byth, falle. A'r tro 'ma *nid* fy syniad i oedd e. O-o! Mae'r ffôn yn canu.

"Ali! Ffôn i ti."

"Dod, Mam."

Gwell i ti ddod gyda fi i wrando. Newyddion *drwg* fydd e, dwi'n siŵr.

"Helô?"

"Ali, ti sy 'na?"

"Nage, Wil Cwac Cwac."

"Paid â bod yn ddwl! Ydy Nia'r Urdd wedi galw yn tŷ chi?"

"Na! Pam?"

"Wel, mae hi wedi galw fan hyn. Bydd yn ofalus."

"Be ddigwyddodd? Dwed bopeth wrtha i."

"Alla i ddim, mae Mam yn dod. Dwi ddim yn cael mynd mas na ffonio neb."

"O, help, Sam! Mae hi wrth y drws nawr. Be wna i?"

"Cuddia. Rhed i ffwrdd. Cer i Awstralia. Diflanna!"

Dere. 5-4-3-2-1, ffwrdd â ni! I'r llofft, glou!

Nawr caea'r drws. A'i gloi e! Paid â gadael i neb ddod i mewn. Mae hyn yn ofnadwy, ofnadwy. Be mae hi'n mynd i ddweud, ti'n meddwl? Dim popeth, p . . . plîs! Wnaethon ni ddim byd erchyll. Doedden ni ddim wedi *bwriadu* difetha'r archfarchnad. Dim ond eisiau helpu oedden ni, ac mae aelodau'r Urdd i fod i helpu pobl. Mae Nia wedi dweud hynny ei hunan.

Ar Sara mae'r bai. Oni bai amdani hi fyddai hyn ddim wedi digwydd. Hi oedd eisiau bod yn aelod o'r Clwb Cysgu Cŵl a dyna sut dechreuodd yr holl ffwdan. O, caton pawb (fel mae Mam-gu'n dweud), 'stedda fan hyn. Gwell i fi ddweud wrthot ti'n union beth ddigwyddodd.

I ddechrau dim ond pedair aelod oedden ni.

Fi, Alwen Tomos. Galwa fi'n Ali.

Wedyn Helen Samuel, neu Sam. Hi yw fy ffrind gorau i. Wrth gwrs mae'r ddwy ohonon ni'n cwympo mas o leia unwaith y dydd, ond dydyn ni byth yn gas am hir.

A Ffi. Ei henw llawn yw Ffion Sidebotham, ond anghofia am y jôcs. Mae hi wedi clywed pob un ac, fel mae pawb yn gwybod, dyw Ffi ddim yn hoff iawn o jôcs.

A Meleri Dafydd. Nawr mae Mel yn hoff iawn o jôcs. Mae Mel yn haden.

Pedair aelod. Fel 'na *oedd* hi.

Ond nawr mae Sara wedi ymuno hefyd, felly sawl un ydyn ni nawr? Ie—da iawn!—pump.

Newydd symud yma mae Sara Murray. Dyw hi ddim yn 'nabod neb eto, felly fe benderfynon ni fod yn garedig. Ocê—a busneslyd hefyd. Roedd hi wedi symud i mewn i'r tŷ mawr ym mhen pella Clos y Nant, yr un â'r ardd enfawr a pherllan. "Waw! Un o'r crachach," meddylion ni. Ond dyw Sara ddim yn 'posh'. Dydyn ni ddim wedi bod i mewn i'r tŷ eto, ond fe wthiwn ni'n trwynau i mewn cyn bo hir, paid â phoeni.

Mel oedd eisiau gofyn i Sara eistedd gyda ni yn y dosbarth a dod gyda ni i gael cinio. "Cŵl," meddai pawb. Ond wedyn meddai Mel, "Dwi'n meddwl y dylen ni adael i Sara fod yn aelod o'r Clwb Cysgu Cŵl."

"I beth?" meddwn i. Cwestiwn twp, wrth gwrs.

"Wel, dwi'n teimlo trueni drosti. 'Sdim ffrind gyda hi." Fe achubith Mel bryfyn sy wedi cwympo i bwll dŵr.

"Ei phroblem hi yw hynny," meddai Ffi. "Ta beth, os daw hi'n aelod, byddwn ni'n bump. Mae pump yn od-rif a dyw od-rifau byth yn gweithio." Un daclus yw Ffi. Pan mae hi'n siarad â ti, mae hi'n codi blew gwallt oddi ar dy siwmper.

Ond am unwaith ro'n i'n cytuno. "Dydyn ni ddim yn 'i nabod hi, ydyn ni? Falle'i bod hi fel llo. Falle'i bod hi'n fabi mam. Falle'i bod hi'n *boring*!"

"Dyw hi ddim," meddai Mel. "Fe basiodd hi'r prawf, on'd do fe?"

Do, mae'n debyg—neu fydden ni ddim yn

gadael iddi berthyn i'n giang ni yn yr ysgol. Rydyn ni'n eitha drygionus: er enghraifft, rydyn ni'n stwffio peli papur y tu ôl i'r Cwpwrdd Celf i fwydo Muriel. (Bwystfil anwes yw Muriel—esgus!) Ambell waith rydyn ni'n clymu un ohonon ni i'r goeden y tu ôl i'r caban ac yna'n curo ar y drws a rhedeg i ffwrdd. Os wyt ti eisiau bod yn y giang, rhaid i ti dderbyn her a chael dy anfon i swyddfa Mrs Parry. Fe herion ni Sara i gymryd bisgïen o'r tun yn y stafell athrawon, ei chnoi a'i rhoi'n ôl. Bwytodd Sara hanner y fisgïen, felly roedd rhaid i ni ei derbyn hi. Ond dwi'n dal i deimlo fod rhywbeth bach o'i le arni.

"Wel, 'sdim ots 'da fi pwy sy'n aelod," meddai Sam. "Cael hwyl yw'r peth pwysig."

"Ond dyw Sara ddim yn hwyliog iawn, ydy hi?" dwedais i. "Mae hi fel llipryn llwyd."

"Dim ond achos bod ei thad wedi gadael," meddai Mel.

"Mae Dad wedi mynd hefyd," meddai Ffi.

"Ond mae gyda ti un arall," meddai Sam.

"Dyw Andy ddim yn dad i fi," mynnodd Ffi.

Fe fuon ni'n dadlau am oesoedd nes i Ffi

ddweud, "'Na ddigon o gweryla. Dewch i ni bleidleisio a setlo'r mater." Weithiau mae hi mor bòsi. "Pawb sy dros."

Cododd Mel a Sam eu dwylo.

"Pawb sy yn erbyn."

Codais i a Ffi ein dwylo.

"Setlo'r mater, wir!" dwedais i. "Beth wnawn ni nawr?"

Wel, wnaethon ni ddim byd tan yr wythnos ganlynol pan oedden ni yn yr Adran. Roedden ni'n eistedd ar y wal tu allan, yn disgwyl i dad Sam ddod i'n nôl ni. Roedden ni'n siarad am gyfarfod nesa'r Clwb Cysgu Cŵl yn tŷ ni ddiwedd yr wythnos, pan ddaeth Sara draw aton ni. Roedd hi wedi dechrau dod i'r Adran hefyd.

"Mae gyda fi byjamas mor ciwt, a lluniau cathod arnyn nhw," meddai Ffi. "Fe gewch chi'u gweld nhw yn y clwb ddydd Sadwrn."

"Pa glwb?" meddai Sara.

Yn sydyn aeth pawb yn dawel. Dechreuodd Sam chwibanu. Mae hi'n chwibanu bob tro mae hi'n nerfus. Edrychais i ar fy nhraed. Maen nhw'n draed gwerth eu gweld. Ydyn, wir! Mae gen i'r traed mwya a welodd neb erioed. Dwi'n gwisgo sgidiau maint 6 yn barod. Wrth gwrs dwi'n dal am fy oedran a, fel mae Mam yn dweud, petai gen i draed bach, fe fyddwn i'n cwympo drwy'r amser. Sugnodd Ffi eu bochau—syniad dwl, mae hi'n edrych fel gerbil. Yna'n sydyn fe glywson ni Mel yn dweud, "O, y Clwb Cysgu Cŵl. Fe fyddwn ni'n cysgu'r nos yn nhŷ Ali nos Wener. Wyt ti eisiau dod?"

Ar ôl i Sara fynd, meddai Ffi yn gas, "Pam ddwedest ti hynna?"

Cwestiwn twp. Atebodd pawb fel côr, "*Achos roedd hi'n teimlo trueni dros Sara!*"

Felly dyna ni. O achos calon fawr Mel—a'i cheg fawr—mae pump o aelodau nawr yn y Clwb Cysgu Cŵl.

Ond gwranda, dwyt ti ddim wedi cael y stori i gyd eto. Dwi'n meddwl bod bai ar Ffi hefyd. Oni bai bod Ffi yn dwlu ar briodasau, fydden ni ddim mewn helynt. A fyddwn i ddim yn eistedd fan hyn yn fy stafell wely yn cuddio rhag Nia'r Urdd.

Mae Ffi mor ddwl, mae hi'n trefnu priodasau rhwng ei theganau. Pan ei di draw i dŷ Ffi, mae 'na wastad gwningen mewn ffrog briodas, tedi yn gwisgo fêl neu Barbie yn priodi My Little Pony. Mae hi'n darllen darn o'r Beibl, yn chwarae tiwn ar yr allweddell ac yn dweud, "Nawr fe gei di gusanu'r briodferch." Wedyn mae'r ddau yn cael eistedd gyda'i gilydd ar silff yn eu dillad priodas a byw yn hapus byth wedyn.

Dyna sut cafodd hi ei syniad ffantastig.

"Beth am gael priodas yn ein cyfarfod nesa ni?" meddai â'i llygaid yn disgleirio.

"*Priodas!*" dwedais i.

"Ie. Fi fydd y briodferch ac fe gei di fod yn briodfab."

"Pam fi?"

"Achos mae gyda ti enw bachgen."

"Mae gyda Sam enw bachgen hefyd."

"Ti yw'r talaf. Gall Sam fod yn forwyn briodas. Ond bydd rhaid i ti wisgo ffrog," meddai wrth Sam. "Alli di ddim gwisgo dy ddillad pêl-droed."

"Wyt ti'n gall?" dwedais i.

Chwarddodd Sam ac ysgwyd ei phen. Mae Sam yn byw a marw yn ei chrys pêl-droed. Mae hi'n dwlu ar dim pêl-droed Abertawe ac mae logo'r alarch ar ei dillad i gyd bron iawn. Dwi a Sam wedi bod yn ffrindiau ers dyddiau'r ysgol feithrin a dwi erioed wedi'i gweld hi mewn ffrog fach ddel.

"Ta beth," dwedais i, " anghofia'r peth. Dwi ddim eisiau priodi neb."

"Fe wna i dy briodi di," meddai Mel.

"Brìl," meddai Ffi ac fe daflodd ei breichiau am Mel.

Dyma beth benderfynon ni: Sam fyddai'r gwas priodas a fi fyddai'r ficer. Byddwn i'n cael benthyg gŵn nos gwyn Mam, Beibl Ffi a hen sbectol Dad. Fy nheganau i fyddai'r gwesteion—a Pepsi'r ci, wrth gwrs. Fe fydden ni'n cynnal y briodas yn yr ardd. Roedd gyda ni bopeth ond morwyn briodas; felly, ar y pryd, roedden ni'n falch fod Sara wedi ymuno â'r clwb.

Mae gan Mel gasgliad ffantastig o hen ddillad ei mam. Fe ddaeth â hen ffrog briodas i Ffi a llenni rhwyd i wisgo am ei phen. Daeth ag iwnifform milwr iddi hi ei hun ac fe beintiodd fwstás dan ei thrwyn. Fe gafodd Sara ffrog dylwythen deg—un binc—ac fe wisgodd Sam siaced dros ei dillad pêl-droed.

Roedd rhaid i bawb hymian y tiwn priodas. Wedyn fe gerddodd Mel a Ffi i lawr llwybr yr ardd, o dan y bwa lle'r oedd y rhosynnau'n tyfu cyn i Pepsi eu difetha. Braich ym mraich.

Dyma fi'n dechrau, "Rydyn ni yma ynghyd," Ond wedyn fe es i dros ben llestri. Fe bregethais i nes bod pawb yn dechrau diflasu. Ddwedais i ddim, "Nawr fe gei di gusanu'r briodferch," achos roedd Mel wedi dweud wrtha i am beidio. Ond fe wnes i'n siŵr fod Mel a Ffi yn cyfnewid modrwyon. Wedyn fe dynnon ni lot fawr o luniau. Aeth Pepsi'n wyllt ac fe ddihangodd gyda'r gwesteion eraill yn ei cheg, felly roedd rhaid i ni ei chloi yn y tŷ.

O'r diwedd fe gyrhaeddon ni at y rhan orau: y bwyd. Roedd gyda ni gŵn poeth feji, popcorn, brechdanau creision-a-banana, *marshmallows*, jeli lemwn a chacen siocled. Weithiau, ar ôl gorffen, rydyn ni'n nôl bowlen enfawr ac yn rhoi popeth sy dros ben—cŵn poeth, creision, jeli—yn y fowlen ac yn troi a throi nes bod y cyfan yn edrych fel bwyd cŵn. Mae gyda ni enw ar y bwyd—Brêns Potsh—achos mae bachgen o'r enw Paul (Paul Pen Potsh i ni) yn byw drws nesa i fi ac mae e'n boen. Ond dwi ddim eisiau sôn amdano fe, neu fydda i byth yn gorffen y stori.

Fel arfer rydyn ni'n herio rhywun i fwyta'r gymysgedd. Edrychais i o un i'r llall a dewisais i Sam.

"Dwi'n dy herio di," dwedais wrthi.

"Dwi'n dy herio di'n ôl," meddai hi wrtha i.

"Dwi'n dy herio di'n ôl eto," dwedais i wrthi hi.

“O, dyw hynna ddim yn deg,” meddai Mel. “Sam sy’n cael ei dewis bob tro.”

“Iawn. Dwi’n herio Sara ’te,” dwedais.

Aeth pawb yn dawel. Roedden nhw’n meddwl ’mod i’n annheg achos bod Sara’n newydd. Ond beth yw’r ots am hynny? Ta beth, fe gododd hi’r llwy a bwyta dwy lwyaid enfawr. Suddon ni i gyd i’r llawr ac esgus tagu a thaflu i fyny, ond dim ond rholio ei llygaid wnaeth hi fel petaen ni’n hanner call. Roedd hi wedi pasio’r ail brawf.

Wedyn roedd hi’n bryd mynd i’r gwely. Mae gen i stafell wely eitha mawr gyda gwely *a* set o welyau bync. Ac mae gyda ni wely cynfas. Felly pan mae’r clwb yn cyfarfod yn tŷ ni, mae lle i bedwar.

Ti’n gweld, dwi’n unig blentyn, sy’n bwnc llosg iawn yn tŷ ni. ’Sdim gobaith perswadio fy rhieni i gael babi arall, ond dwi ddim yn hapus. Mae bod yn unig blentyn yn anfantais —mae’n bryd iddyn nhw sylweddoli hynny! Felly dwi’n meddwl mai’r peth lleia y gallan nhw wneud yw gadael i fi gael fy ffrindiau draw pryd mynna i, ac maen nhw’n dda iawn fel arfer. Cŵ-ŵl!

Ond doedd dim gwely i Sara, felly roedd rhaid i Sam rannu fy ngwely i. Roedd e'n syniad da—nes iddi ddechrau giglan a throi a throsi fel arfer. Hefyd mae gan Sam y traed oera'n y byd!

Am fod Sara'n newydd does gyda hi ddim bag clwb fel pawb arall, ond fe wnaeth Ffi restr iddi. Mae gan bob un ohonon ni fag a dyma beth sy ynddo:

1. Sach gysgu
2. Gobennydd
3. Pyjamas neu ŵn nos (coban i Sara!), ond mae gŵn nos yn ddrafftlyd ac yn dangos dy ben-ôl pan fyddi di'n gwneud gymnasteg
4. Slipers
5. Brws dannedd, pâst dannedd, sebon ac yn y blaen
6. Tywel
7. Tedi
8. Stori iasoer
9. Bwyd ar gyfer y wledd ganol nos: siocled, creision, losin, bisgedi ac unrhyw fwyd iymi-iymi.
10. Tortsh

11. Brws gwallt
12. Pethau gwallt—bòbl, band gwallt neu beth bynnag rwyt ti'n wisgo
13. Nicers a sanau glân. A bag drewllyd ar gyfer yr hen rai!
14. Dyddiadur Clwb

I'r briodas:

15. Dillad priodas
16. Camera
17. Confetti

Mae pob un ohonon ni'n cadw dyddiadur. Weithiau rydyn ni'n darllen darnau i'n gilydd, ond maen nhw'n *hollol breifat*, ar boen dy fywyd! Fydden ni byth yn darllen dyddiadur rhywun arall heb ganiatâd. Rydyn ni'n sgrifennu'n cyfrinachau ynddyn nhw. Os nad oes gyda ti gyfrinach go iawn, fe alli di esgus. Dyna beth fydda i'n wneud.

Sgrifennais i yn fy nyddiadur: *Pan fydda i'n tyfu lan, dwi ddim eisiau bod yn ganwr pop nawr. Dwi eisiau gyrru tacsi.*

Wythnos ddiwetha pan aethon ni i Lundain, fe ges i reid mewn tacsi am y tro cynta. Roedd e'n ffantastig.

Roedd Sam yn sgrifennu a sgrifennu yn ei dyddiadur hi. Roedd hi'n sgrifennu am fabis ac o ble maen nhw'n dod. Darllenodd hi'r darn i ni. Pan fydd hi'n tyfu lan, mae Sam am fod yn ddoctor fel ei thad. Os wyt ti am fod yn ddoctor, rhaid i ti fod yn gymeriad cryf iawn, yn ôl Sam. Mae hi'n dwlu am bethau gwaedlyd. Ac mae hi'n gwybod popeth am fabis a phethau. Sgrifennodd hi: *Ond dwi ddim eisiau cael babi fy hun. A dwi ddim eisiau priodi. Fe fydda i'n rhy brysur yn achub bywydau.*

Dechreuodd Ffi giglan. "Dwi'n mynd i briodi," meddai hi. "Dwi'n mynd i briodi Rhidian Scott a chael lot o blant a rhedeg ysgol feithrin."

Bachgen yn ein dosbarth ni yw Rhidian Scott. Gwasgodd Sam ei bola ac esgus taflu i fyny.

Dwedais i, "Mae e'n pathetig!"

"Mae bechgyn yn drewi," meddai Mel gan grychu'i thrwyn. Hi ddylai wybod—mae pedwar brawd gyda hi.

"Sut wyt ti'n hoffi bechgyn?" gofynnais i Sara.

"Mewn brechdan," meddai hi, "efo sôs tomato a phlataid o sglods."

"Ie! Da iawn," dwedais.

Ar ôl siarad am sglods, cododd chwant bwyd arnon ni i gyd. Doedd hi ddim yn ganol nos eto, ond fe benderfynon ni ddechrau ar y wledd. Cripiais i lawr stâr i nôl bowlen fawr ac fe arllwyson ni bopeth i mewn iddi. *Fizzy-pops, Black Jacks, Fruit Salads, Jelly Babies,* losin siâp deinosor a bagaid o greision caws a wynwns. Estynnon ni'r fowlen o un i'r llall a dechrau siarad am Adran yr Urdd.

"Dyw'r Adran ddim cystal hwyl yn ddiweddar," meddai Sam.

Mae hynny'n wir. Fel arfer mae'n cŵ-ŵl, ond mae rhywbeth wedi newid.

"Mae Nia'r Urdd bob amser mewn strach."

"Roedd hi'n arfer bod mor neis," meddai Mel.

"Mae hi wedi cweryla gyda'i chariad," meddai Ffi. "Anti Mai ddwedodd wrtha i." Mae Anti Mai yn helpu yn yr Adran hefyd, dyna sut mae Ffi'n gwybod. "Dwedodd hi wrth Mam falle byddai Nia yn rhoi'r gorau i redeg yr Adran, achos does gyda hi ddim diddordeb nawr."

"O, na!" meddai Mel. "Dwi'n teimlo . . ."

"*Trueni drosti!*" meddai pawb fel côr.

"Wel, dwi yn teimlo trueni. Mae'n drist pan fydd rhywun yn eich gadael chi."

"Dylet ti weld Mam," meddai Sara. "Ar ôl i Dad adael, mae hi'n edrych yn hapusach."

Ond doedd Sara ei hun ddim yn hapus. Roedd hynny'n amlwg. Roedd hi'n gweld eisiau ei thad, ond wydden ni ddim sut i godi ei chalon.

Roedd hi'n hanner awr wedi deuddeg a doedd dim ar ôl i'w fwyta. Roedden ni'n gorwedd yn ein gwelyau yng ngolau tortsh ac roedd ein llygaid ni'n dechrau cau. Roedden ni'n gwneud ein gorau i gadw ar ddihun. Wedi'r cyfan does dim pwynt cael Clwb Cysgu Cŵl os yw pawb yn mynd i gysgu.

Mel yw'r gyntaf i gysgu bob tro. Roedd hi'n sugno'i bawd yn swnllyd. Wedyn dechreuodd Ffi sniffian—fel arfer—felly dechreuais i a Sam sniffian hefyd. Dyna beth fyddwn ni'n wneud yn ystod yr awr ddarllen yn yr ysgol. Mae'n gyrru Mrs Roberts yn wallgo. Wedyn sniffiodd Sara a dechreuais i a Sam chwerthin. Yn sydyn cododd Sam ar ei heistedd. Roedd hi wedi cael syniad.

"Beth am ffeindio cariad *newydd* iddi?" meddai.

"I bwy?" meddai Sara.

"I Nia'r Urdd, wrth gwrs."

"Sut?" gofynnais i. Ble allen ni edrych? Allen ni ddim mynd i siop!

"Wel, rhaid bod 'na rywun yn rhywle," meddai Sam.

"Mmmm," cytunodd Sara.

Ro'n i bron â chwympo i gysgu. Dyna pryd dwi'n cael fy syniadau gorau.

"Beth am Harri Hync?" dwedais gan agor fy ngheg led y pen.

"Pwy yw Harri Hync?" gofynnodd Sara.

Ond ro'n i wedi blino gormod i ateb. "Fe ddweda i wrthot . . . ti . . . fory," dwedais, ac fe es i gysgu.

Mel sy'n cysgu gyntaf. Hi yw'r gyntaf i ddihuno hefyd, ac unwaith mae hi ar ddihun, mae pawb arall yn deffro. Mel yw'r person mwya swnllyd yn y byd. Roedd hi'n cysgu ar y gwely cynfas a phob tro roedd hi'n symud, roedd e'n gwichian. A phan estynnodd hi am ei bag clwb, suddodd un pen o'r gwely ac fe saethodd hi mas ar y llawr.

Roedd hi'n gwichian ac yn chwerthin gymaint, fe ddeffrodd hi bawb. Wedyn fe gafodd hi'r ig. Pan mae Mel yn cael hic-yps mae hi'n eu cael nhw'n waeth na phawb arall. Fe allai hi dorri record am igian.

Rydyn ni wedi trio'i gwella hi bob ffordd: rhoi allwedd oer i lawr ei chefn, ei dychryn hi, sefyll ar ei phen—Na, nid ni yn sefyll ar ei phen hi!—clwtyn gwlyb, pinsio'i thrwyn, gwneud iddi ganu "Hen Wlad fy Nhadau" o chwith. Ond y peth gorau yw gwasgu dy fodiau ar gledr ei llaw, tra mae hi'n dal ei hanadl.

Ond pan fyddwn ni newydd ddihuno yn y bore, dyw'n brêns ni ddim yn gweithio. Felly fe gymerodd fwy o amser nag arfer. Aeth wyneb Mel yn fwy a mwy pinc wrth i'r ig fynd yn waeth ac yn waeth. O'r diwedd fe stopiais i'r igian â'm bodiau swyn, ond mae rhai pobl mor anniolchgar.

"Fe wnest ti ddolur i fi," cwynodd gan rwbio'i llaw.

"Wel, snap!" dwedais i. Credais i na fyddai 'modiau i byth yn gwella. Wedyn fe faglais i dros y gwely cynfas. Plygodd hwnnw oddi tana i, felly fe laniais i ar y llawr hefyd.

Fe wnaeth Mel gamgymeriad. Dechreuodd hi chwerthin. Ha, meddyliais. Amser *talu'n ôl*! Cydiais yn Stanli, fy nhedi mawr cryf i.

Un o'n hoff gêmau ni yw ymladd gyda tedis. Weithiau rydyn ni'n defnyddio'r gobenyddion, ond y peth gorau yw stwnshi-pwnsh. Sach gysgu sy'n llawn o ddillad a phethau eraill yw stwnshi-pwnsh. Mae pawb yn sefyll ar y gwely ac yn taro'i gilydd. Rydyn ni'n chwarae *Gladiators* gyda'r stwnshi-pwnsh, ond mae angen lot o le.

Pan fyddwn ni'n ymladd gyda tedis, Stanli sy bob amser yn ennill, achos mae e'n llawn o stwffin ac yn fawr. Mae'r tedis eraill yn crynu pan welan nhw Stanli. Fe yw'r pencampwr.

Roedd Sara yn ein gwylio ni'n syn. Roedd hi'n meddwl ein bod ni'n wallgo. Ond fe ddaw hi'n gyfarwydd â ni. Wedyn daeth Dad i mewn ac roedd rhaid i ni stopio.

"Pan fyddwch chi wedi gorffen difetha'r lle, dewch i gael eich brecwast," meddai Dad.

Tra oedden ni'n paratoi, gofynnodd Sara i fi, "Pwy yw Harri Hync?"

"O, ti'n gwbod. Fe yw gofalwr newydd yr ysgol," meddai Ffi, cyn i fi ddweud gair. "Mae Harri'n grêt."

Ydy, mae e'n grêt. Roedd e'n arfer gyrru fan lyfrgell cyn dod i'n hysgol ni. Mae e'n eitha ifanc ac mae pawb yn ei hoffi achos dyw e byth yn gweiddi arnon ni. Mae e'n neis iawn i'r babanod. Weithiau, os ydyn nhw'n cynnig cwpanaid o de iddo fe, mae e'n eistedd yn y tŷ bach twt gyda choron ar ei ben ac mae e'n esgus mai fe yw Prince Charles. Mae e'n ddoniol.

"Ydy o wedi priodi?"

"Na, dwi ddim yn credu," meddai Ffi. "Pam?"

"Mi fedrith o fod yn gariad i Nia'r Urdd," awgrymodd Sara.

"Waw! Syniad da!" meddai Ffi. "Pam na feddyliais i am Harri?"

"Achos mai fi feddyliodd amdano fe gynta," dwedais i.

"Fy syniad i oedd e," meddai Sam o dan ei gwynt.

"Sara feddyliodd amdano fe gynta," meddai Ffi.

"Sut wyt ti'n gwbod?" dwedais i. "Roeddet ti'n cysgu, *fel mae'n digwydd*!"

Roedd pethau'n mynd yn gas. Rydw i a Ffi'n aml yn dadlau pwy gafodd syniad gynta, ond wedyn dwedodd Mam fod brecwast yn barod ac fe stopion ni.

Ond pwy bynnag gafodd y syniad, fe achosodd lwyth o helynt. Trueni bod unrhyw un wedi sôn am y peth. Ond, ti'n 'nabod Ffi, unwaith mae hi'n cael gafael ar syniad, wnaiff hi ddim gadael llonydd iddo fe, yn enwedig os yw e'n syniad am briodas.

"O, meddyliwch," meddai, "falle byddan nhw'n cwympo mewn cariad ac yn priodi. Bydd Nia mor falch fe fydd hi'n gofyn i ni fod yn forynion priodas."

"Byth!" dwedais i.

Rholiodd Sam ei llygaid. 'Sdim ots gan Sam wisgo amdani pan fyddwn ni'n chwarae yn y tŷ, ond fyddai hi ddim eisiau bod yn forwyn briodas. Yn bersonol, fyddai dim ots gen i, os cawn i ddewis fy nillad. Dwi'n dwlu ar liw arian. Mae gyda fi bâr o sgidiau lliw arian, ac weithiau, ar y penwythnos, dwi'n cael rhoi farnis arian ar fy ewinedd. 'Robot' mae'r lleill yn fy ngalw i. Ond dwi ddim yn credu y byddai Nia'r Urdd eisiau morynion priodas mewn gwisgoedd arian.

Dwedais i, "Os dwi'n 'nabod Nia, bydd hi eisiau i ni wisgo'n dillad dawnsio gwerin."

"Ond fe fydden ni'n cael mynd i'r briodas," meddai Ffi.

"Mae e'n syniad grêt," meddai Mel. "Dwi'n siŵr y bydd y ddau ohonyn nhw'n ddiolchgar iawn."

“Dewch i feddwl am gynllun,” meddai Ffi.

“Ond beth os oes cariad gyda fe’n barod?” dwedais i.

“Sut cawn ni wybod?” meddai Sara.

“Fe ofynnwn ni iddo fe,” meddai Sam.

“Pryd?”

“Dydd Llun,” dwedais i. “Gorau po gynta.”

Mae pob un ohonon ni'n mynd i'r un ysgol. Enw'r ysgol yw Ysgol Gynradd Tregain. Mae hi'n ysgol wych! Enw'n hathrawes ni yw Mrs Roberts ac mae hi'n wych hefyd, a'r brifathrawes, Mrs Parry. Os cei di dy anfon at Mrs Parry, dyw hi byth yn gweiddi, dim ond edrych yn siomedig. Os edrychi di ar dy draed yn lle edrych arni hi, mae popeth yn iawn.

Dim ond un peth sy o'i le ar yr ysgol—Mrs Pickering! Un o'r menywod sy'n gofalu amdanon ni amser cinio yw hi. Mae gyda ni enw arni—Mrs Pigotrwyn. Mae hi wastad yn gweiddi. Mae hi'n boen. Heblaw amdani hi, rydyn ni'n hoffi popeth arall yn yr ysgol.

Mr Jenkins yw enw iawn Harri Hync. Fe ddewison ni'r enw Harri Hync, achos mae e'n dal ac yn olygus, yn debyg i Ioan Gruffudd.

Ac mae e'n gês. 'Bois' mae e'n galw ni, a 'merched' mae e'n galw'r bechgyn. Mae e'n cicio pêl gyda'r bechgyn weithiau ac mae e'n chwarae'r piano i ni gael dawnsio; mae e'n gwybod pob math o diwniau gwahanol.

Mae ymarfer dawnsio yn syniad grêt i wastraffu amser. Rydyn ni'n mynd i'r stiwdio ac yn diffodd y goleuadau i gyd heblaw am un neu ddau 'spot', ac wedyn rydyn ni'n esgus dawnsio gyda Mega. Neu weithiau rydyn ni'n mynd i'r neuadd i ddawnsio ac mae Mr Jenkins yn chwarae'r piano. Os nad yw'r M&Ms wedi cyrraedd yno o'n blaenau, wrth gwrs. Yr M&M's yw'n gelynion penna ni—Emma Davies ac Emily Mason, iych!—ond fe gei di eu hanes nhw yn nes ymlaen.

Mae Mr Jenkins yn byw yn agos i'r ysgol ac mae e i mewn a mas o hyd. Mae e'n rhy brysur i siarad ar ddiwedd y dydd, achos mae e'n gorfod glanhau, ond mae e'n mwynhau cael clonc unrhyw bryd arall.

Felly, ar ddydd Llun, fe aethon ni i chwilio amdano fe amser chwarae. Roedd e'n glanhau graffiti oddi ar wal un o'r cabanau. Fe aethon ni ato'n dawel bach ac aros iddo fe sylwi arnon ni.

"O-o!" meddai Mr Jenkins. "Trwbwl!" Ond fe wenodd a dal ati i sgwrio. "Nid chi sgrifennodd hwn, ife?"

"Nage!" meddai pawb. "Wir!" ac fe edrychon ni mor ddiniwed ag ŵyn, fel mae Mam-gu'n dweud.

Ymhen sbel dwedais i, "Harri . . ." Mae e'n fodlon i ni ei alw fe'n Harri.

"Oes gyda ti gariad?"

Stopiodd e sgwrio a dechreuodd wenu. "Na. Ond dwi dipyn bach yn rhy hen i ti, cofia."

Es i mor goch â thomato. Dechreuodd y lleill chwerthin. Doniol iawn!

"Dyw hi ddim eisiau cariad," meddai Ffi. "Dim ond eisiau gwbod oedden ni. Does gyda ti ddim cariad, wir?"

"Na," meddai Harri.

"Wyt ti eisiau un?" gofynnodd Mel.

"Na," meddai Harri. "Gormod o ffwdan."

"Wir?" meddai Sam.

Aeth llygaid Mr Harri Jenkins yn gul, gul. "Pam mae pawb eisiau gwbod?"

"Os wyt ti eisiau cariad, gallen ni ffeindio un i ti," dwedais i.

"Jôc?"

"Na, dim jôc," meddai pawb.

"Iawn, fe ga i Pamela Anderson 'te."

"Paid â bod mor ddwl," meddai Ffi. "Dydyn ni ddim yn nabod Pamela Anderson."

"'Na'i diwedd hi 'te," meddai Harri. "Pamela yw'r unig un i fi."

Ac ailddechreuodd sgrwbio *Spikey am byth* oddi ar wal y caban. Wedyn fe aeth y gloch. Cododd pawb eu hysgwyddau a cherdded i ffwrdd yn hamddenol.

"Oedd e'n dweud y gwir, chi'n meddwl?" meddai Ffi.

"Wyt ti'n gall?" dwedais i.

"Jôc oedd e," meddai Mel.

"Ble mae e'n mynd i gwrdd â Pamela Anderson?" meddai Sam.

"Ond wedyn," dwedais i, braidd yn anobeithiol, "dwi ddim yn meddwl y bydd e'n fodlon ar Nia'r Urdd."

'Sdim byd o'i le ar Nia, cofia. Mae hi'n neis iawn. Mae hi'n eitha pert. Mae gyda hi lygaid tywyll a gwallt brown at ei hysgwyddau ac mae hi'n edrych yn ddel iawn yn ei dillad 'steddfod. Ond dyw hi ddim byd tebyg i Pamela Anderson. Mae hi'n gweithio yn y banc a phan fydda i'n mynd yno gyda Mam, mae hi'n gwenu arnon ni o'r tu ôl i'r cownter. Yn y banc mae hi'n gwisgo sbectol. Mae'r sbectol yn ei siwtio, ond dyw hi ddim yn ei gwisgo drwy'r amser. Mae ganddi wên hyfryd ac mae hi'n llawn hwyl. Wel, fe *oedd* hi'n llawn hwyl. Nawr mae hi fel clwtyn gwlyb. Nid Mel oedd yr unig un i deimlo trueni drosti. Roedd pawb yn teimlo 'run fath.

Ond doedd teimlo trueni ddim yn ddigon. Roedd rhaid i ni weithredu. Rydyn ni'n rhai da am weithredu! Roedd gyda ni gynllun—Cynllun Dêt Dall neu CDD. Syniad Ffi oedd hwnna! Roedd hi eisiau sgrifennu at Cilla Black a gofyn a gâi Harri a Nia fynd ar ei rhaglen, ond drwy lwc fe roison ni stop ar y syniad hynny.

Aros funud. Glywaist ti'r ffôn? Dere i ben y grisiau i wrando. Gwylia! Mae'r drws yn gwichian. Os bydd Mam yn clywed, bydd hi ar ben arna i.

"Helô . . . Na, Ffion, chei di ddim siarad ag Alwen . . . na, mae'n ddrwg 'da fi, fydd hi ddim yn ffonio'n ôl . . . achos mae hi'n gorfod aros yn ei stafell . . . Am faint o amser? Am byth falle . . . Iawn, fe ddweda i dy fod ti wedi ffonio. . ."

O-o. Os yw Mam yn fy ngalw i'n Alwen, mae pethau'n ddrwg iawn. O, be ddwedodd Nia? Wyt ti'n meddwl ei bod hi wedi sôn am Sam a Mel a helynt y troli? Neu, gwaeth fyth, ydy hi wedi sôn am y llythyr? Pa lythyr? Y llythyr anfonon ni at Harri Hync oddi wrth Nia'r Urdd, wrth gwrs. Yn bendant *nid* fy syniad i oedd hwnnw. Ro'n i'n gwybod o'r cychwyn cyntaf ei fod e'n syniad gwael.

Ond rywsut neu'i gilydd roedd rhaid i ni drefnu bod Harri a Nia'n cwrdd â'i gilydd, a doedd hynny ddim yn hawdd. Hyd y gwydden ni, doedden nhw erioed wedi gweld ei gilydd. Ond roedd rhaid i ni ddechrau yn rhywle, felly fe ddechreuon ni gyda Harri.

Bob tro roedden ni'n cwrdd ag e yn yr ysgol, roedd e'n dweud, "Ydych chi wedi cael gafael ar Pamela eto? Dwi'n rhydd ar nos Sadwrn," a phethau dwl fel 'na. Felly fe benderfynon ni ddweud wrtho fe fod gyda ni ffrind hŷn na ni, o'r enw Nia, a oedd bron â marw eisiau cwrdd ag e.

Ddwedon ni ddim mai Nia'r Urdd oedd hi. Fel dwedodd Sam, os oedd Harri'n dwlu ar Pamela Anderson, falle fyddai fe ddim eisiau cwrdd â rhywun sy'n dysgu dawnsio gwerin.

"Sut un yw'r ffrind 'ma?" gofynnodd Harri.

"Neis," meddai pawb gyda'i gilydd.

Rholiodd Harri ei lygaid. "A beth yw ei gwaith hi?"

"Mae hi'n gweithio yn y banc," meddai Ffi. Roedd hynny'n ocê.

"Faint yw ei hoedran hi?"

"Tua'r un oed â ti," meddai Sam fel fflach. Edrychodd Harri'n amheus iawn.

"Mae car gyda hi," dwedais i. Roedd e'n falch i glywed hynny.

"Ydy hi'n bert?"

Falle ein bod ni wedi gwneud iddi swnio'n fwy pert nag yw hi, ond fel mae Mam-gu'n dweud, gwyn y gwêl y frân ei chyw.

Pan ofynnodd e pa fath o fiwsig roedd hi'n hoffi, edrychodd pawb yn syn. Doedd gyda ni ddim syniad.

"Blur ac Oasis, dwi'n credu," meddai Ffi. Am ateb twp!

"Miwsig plant bach," meddai Harri gan grychu'i drwyn.

"Mae Ffi'n siarad dwli," meddai Sam. "Miwsig . . . clasurol mae Nia'n hoffi."

Crychodd Harri ei drwyn yn waeth fyth.

"Nage, canu gwlad," dwedais i. Goleuodd ei wyneb ar unwaith.

"Ie, ti'n iawn. Canu gwlad mae hi'n hoffi," meddai Sam. "Dwi'n cofio nawr."

"O leia mae hi'n deall rhywbeth am fiwsig," meddai Harri. Nodiodd pawb nerth eu pennau.

Erbyn hyn roedd Harri'n dangos tipyn o ddiddordeb, ond roedd y gloch wedi canu. Aethon ni'n ôl at ein gwersi.

Meddai Ffi, "Wyddwn i ddim fod Nia'n hoffi canu gwlad."

Be sy'n bod ar y ferch? Mae hi mor dwp weithiau.

Roedden ni'n gwybod fod Harri'n dangos diddordeb, achos yn lle holi am Pamela Anderson bob tro roedd e'n cwrdd â ni, roedd e'n holi am Nia. Roedd Ffi mor siŵr y bydden ni'n forynion priodas, fe ddechreuodd hi gynllunio ffrogiau ar ein cyfer ni.

"Hei, gan bwyll!" dwedais i. "Dydyn ni ddim wedi siarad â Nia eto."

Roedd Adran y noson honno. Rydyn ni'n cwrdd yn yr Aelwyd bob nos Iau. Dim ond dau ddwsin ohonon ni sy, ond rydyn ni'n gwneud pob math o bethau. Ar hyn o bryd rydyn ni'n sgrifennu drama ac yn gwneud pypedau gydag Anti Mai. Fe fyddwn ni'n rhoi sioe bypedau i'n rhieni ryw ddiwrnod, ond mae'n cymryd oesoedd i baratoi.

Roedden ni i gyd yn eistedd o gwmpas y bwrdd, pan ddaeth Nia draw i weld sut oedden ni'n dod i ben. Eisteddodd hi gyda ni, felly fe fachais i ar y cyfle. Gofynnais i'n ddidaro:

"Nia, pa fath o fiwsig wyt ti'n hoffi?"

"Pob math," meddai hi.

"Ond beth wyt ti'n hoffi orau?"

Cododd ei hysgwyddau. "Jazz . . . opera . . ."

"Opera?" dwedais.

"Beth am Blur?" meddai Mel.

"Pwy?" meddai Nia. Agorodd Mel ei cheg yn syn.

"Beth am ganu gwlad?" llefodd Sam.

"Iawn. Dwi'n hoffi pob math."

Ochneidiodd pawb mewn rhyddhad.

"Nia, faint yw dy oedran di?" gofynnodd Ffi.

"Ffion!" meddai Anti Mai yn siarp.

"Paid ti â busnesa," meddai Nia yn wên i gyd. "Dwyt ti ddim i fod gofyn i fenyw faint yw ei hoedran hi."

"Mae'n ddrwg 'da fi," meddai Ffi.

"Rhag dy gywilydd di," meddai Anti Mai.

Pam mae oedolion mor od? Dwi ddim yn deall pam maen nhw'n gwrthod sôn am eu hoedran. Ond o leia fe wenodd Nia—nes i Sara sarnu popeth.

"Nia, oes gen ti gariad?"

Ar unwaith edrychodd Nia'n gas a difrifol iawn, cododd a cherddodd i ffwrdd. "Canolbwyntia di ar dy byped," meddai, "ac nid ar fy nghariadon i."

"Oedd rhaid i ti ddweud hynna?" sibrydais i wrth Sara.

"Ond mae'n bwysig i ni gael gwybod," sibrydodd Sara'n ôl.

Edrychodd Anti Mai yn amheus iawn ar y ddwy ohonon ni.

"Meddwl oedden ni," dwedais i'n ddiniwed. "Dyw hi ddim yn edrych yn hapus iawn."

Edrychodd Anti Mai dros ei hysgwydd rhag ofn y byddai Nia'n clywed.

"Does dim cariad gyda hi," sibrydodd. "Ac mae'n bryd iddi gael gafael ar un. 'Sdim iws hiraethu am yr hen un. Dwi wedi dweud digon wrthi, ond dyw hi ddim yn barod i wrando ar hyn o bryd. Felly peidiwch chi â'i hypsetio hi. Cofiwch nawr."

Nodiodd pawb ac edrych ar ei gilydd, ond ddwedon ni ddim rhagor wrth Anti Mai, dim ond bwrw ati i beintio'r pennau pyped. Mae'n anodd gwybod pryd i drystio oedolion. Ond o leia roedd un peth yn hollol amlwg. Roedd ar Nia angen ein help ni, hyd yn oed os nad oedd hi'n gwybod hynny.

PENNOD CHWECH

O leia roedden ni wedi setlo Harri. Wel, roedden ni'n meddwl ein bod ni. Felly fe gawson ni sioc ar ddydd Gwener pan ddechreuodd e chwerthin.

"Ydych chi'n dal i siarad am y Nia 'ma?" meddai. "Mae'n bryd i chi anghofio'r jôc nawr."

"Ond nid jôc yw e," meddai Sam.

"O ddifri calon," dwedais.

"Calon?" meddai Harri. "Difrifol iawn 'te. Dewch, bois, mas o'm ffordd i." Ac roedd rhaid i ni symud achos roedd e eisiau rhoi sglein ar lawr y neuadd.

Fe gafodd Ffi un cynnig arall. "Be sy rhaid i ni wneud i brofi i ti ein bod ni o ddifri?" gofynnodd i Harri.

"Dewch â llun i fi." Llun, meddyliais. Ble

oedden ni'n mynd i gael llun? "Neu, gwell fyth, gofynnwch iddi sgrifennu llythyr ata i," meddai yn wên o glust i glust.

Roedd hi'n ddigon anodd cael llun, ond roedd llythyr yn amhosib. Ond ar y ffordd adre o'r ysgol, fe gafodd Mel un o'i syniadau dwl.

"Gallen *ni* sgrifennu un," meddai.

"Allen ni ddim," dwedais i. "Bydd e'n nabod ein sgrifen ni."

Fi yw'r unig un sy'n gallu sgrifennu'n dwt. Mae sgrifen y lleill fel plataid o spaghetti. Ond dyw fy sgrifen i, hyd yn oed, ddim byd tebyg i sgrifen menyw sy'n gweithio'n y banc.

"Does dim rhaid i ni *sgrifennu*," meddai Sam. "Gallwn ni deipio llythyr ar y cyfrifiadur. Mae'n ddigon hawdd copïo llofnod. Dwi'n aml yn copïo llofnod Dad."

"Wyt ti, wir?" dwedais gan godi un ael. Dim ond fi sy'n gallu gwneud y tric yna.

Gwenodd Sam. "Dwi'n gorfod sgrifennu ambell siec fach pan fydda i'n brin o arian poced."

"Wyt ti?" meddai Ffi. Mae hi'n credu popeth.

"Jôc," dwedais i, gan guro 'mhen â 'mys. "Grrrrr."

"Dim ond gêm yw e," meddai Sam. "Mae Dad wedi rhoi hen bapurau presgripsiwn i fi. Dwi'n sgrifennu Doctor *Samuel*. Mae'n edrych mor cŵl."

"Ond beth allwn ni ddweud yn y llythyr?" dwedais i. Ro'n i'n dal i gasáu'r syniad.

"Rwyt ti'n hync golygus. Rwy'n dy garu di," meddai Mel gan rolio ei llygaid a dechrau piffian chwerthin.

"Ti yw'r unig un i fi." Gwasgodd Sam ei llaw dros ei chalon a gwneud stumiau â'i gwefusau.

Wedyn aeth y ddwy ohonyn nhw'n wallgo. Dechreuodd Sam ddefnyddio acen Ffrengig ac roedd Mel yn gwneud llygaid llo.

"Hei, gan bwyll, y twpsod," dwedais, ond allai neb stopio chwerthin. Roedd pobl ar y stryd yn edrych arnon ni. Mega!

Ond wedyn cofiais i eiriau Mam-gu ar adegau fel hyn: "Byddwch yn ofalus. Gall chwarae droi'n chwerw."

Yng nghanol yr holl hwyl fe ddysgon ni rywbeth am deulu Sara. Rydyn ni'n aml yn cerdded heibio i'r tŷ ar y ffordd adre o'r ysgol ac yn gobeithio y bydd hi'n ein gwahodd ni i mewn, ond heb lwc hyd yn hyn. Dwi'n gwybod fod rhieni rhai pobl yn ffyslyd a ddim yn hoffi cael plant yn y tŷ. Dyw Mam a Dad ddim fel 'na, diolch byth—ond doedd mam Sara ddim chwaith. Roedd hi'n aml yn dweud, "Sara, paid â chadw dy ffrindiau ar garreg y drws. Tyrd â nhw i mewn." Ond doedd Sara byth yn gwneud ac wydden ni ddim pam.

Roedden ni'n gwybod fod ei thad wedi mynd i ffwrdd, roedd hi wedi dweud wrthon ni, ond dyw tadau lot o blant y dosbarth ddim yn byw gyda nhw.

Dyw tad Ffi ddim. Mae gyda hi Andy, cariad ei mam, ond nid fe yw ei thad hi. Mae ei thad go iawn yn byw yn y stryd nesa gyda'i gariad Maria a'u babi, Ceri. Mae Ffi a'i brawd yn mynd draw i de at eu tad bob dydd Sul, ond dydyn nhw ddim yn byw gyda fe.

Hefyd roedd Sara wedi dweud wrthon ni am Ian ei brawd. Doedden ni ddim wedi'i weld e eto, achos mae e'n mynd i ysgol arbennig.

Roedden ni'n gwybod ei fod e'n defnyddio cadair olwyn, achos roedden ni wedi gweld y gadair yng nghefn car ei mam. Doedd e ddim yn gallu siarad chwaith, yn ôl Sara, felly roedden ni'n meddwl mai o achos Ian roedd hi'n gwrthod gadael i ni fynd i'r tŷ. Ond doedd hynny ddim yn wir chwaith.

Roedd rhaid i fi roi fy nhroed ynddi, wrth gwrs. Fi a 'ngheg fawr!

Roedden ni'n pwyso ar gât Sara. Dwedais i, "Mae'n ddydd Gwener heddi. Petaen ni'n cael Clwb heno, fe allen ni sgrifennu'r llythyr a mynd ag e at Harri fory."

"Mega!" meddai Ffi. "Ac fe allen ni gynllunio'r CDD."

Ro'n i'n dal i syllu ar dŷ Sara gan obeithio y byddai hi'n llyncu'r abwyd, ond wnaeth hi ddim.

"Wel, allwch chi ddim dod draw i tŷ ni," meddai Ffi. "Dyw Mam ddim wedi dod dros helynt y *bubble-bath* eto." Fe gei di'r hanes rywbryd!

"Peidiwch edrych arna i," meddai Mel. "Mae Mam a Dad yn papuro—*eto*!" Mae mam a thad Mel wastad yn gwneud rhywbeth i'r tŷ.

Codi darn newydd neu bapuro, neu dynnu darn i lawr a'i roi'n ôl at ei gilydd.

"Falle galla i ofyn i Mam a Dad," meddai Sam. "Ond bydd y Bwystfil yn y ffordd." Allet ti ddim dychmygu gwaeth chwaer na chwaer Sam. *Bethan Bwystfil* yw ein henw ni arni. Ac mae Sam druan yn gorfod rhannu stafell â hi!

Roedden ni newydd gael Clwb yn tŷ ni, felly dim ond un person oedd ar ôl a ro'n i wedi blino disgwyl i Sara gynnig.

"Beth am dy dŷ di," dwedais i wrthi'n blwmp ac yn blaen. Ond y funud nesa ro'n i'n difaru. Aeth Sara'n goch goch ac fe ysgydwodd ei phen.

"Pam lai?" dwedais.

"Achos," meddai Sara. Roedd hi bron â llefain.

"Os wyt ti'n poeni am Ian . . ." dwedais i. Doeddwn i ddim yn siŵr beth i ddweud nesa.

"'Sdim ots gyda ni, wir," meddai Ffi.

"Na," meddai Mel. "Mae gen i wncwl mewn cadair olwyn."

"O, grêt!" meddai Sara. "Wel, 'sdim ots gen i chwaith. Dydy hyn ddim byd i wneud ag Ian, stiwpid! Y tŷ sy'n flêr." A dyma hi'n dechrau llefain y glaw.

Dwedodd hi mai adeiladydd oedd ei thad hi. Roedd e wedi prynu'r tŷ gan feddwl ei drwsio, ond roedd e wedi cwrdd â'i gariad a mynd i ffwrdd gan adael ei deulu mewn tŷ mawr crand a oedd yn edrych fel tomen.

"Mae o'n addo trwsio'r tŷ, ond dydy o byth yn gwneud. Mae'r tŷ'n erchyll! Dim ond un neu ddau garped sy efo ni. Does dim papur ar wal fy stafell."

"Pwy sy eisiau papur wal?" dwedais i i godi ei chalon.

"Fi!" gwaeddodd Sara gan gerdded drwy'r gât a'i chau gyda chlep fawr. "Dydy o ddim yn deg. Dwi'n casáu pawb!" A cherddodd lan y llwybr gan lefain a llefain.

Roedd pawb yn edrych yn gas arna i. "Wyt ti'n hapus nawr?—dyna'r olwg oedd ar eu hwynebau.

Ond doeddwn i ddim yn hapus. Ro'n i'n teimlo'n ofnadwy. Doeddwn i ddim wedi bwriadu gwneud iddi lefain. Es i'n syth adre a gofyn i Mam—*plîs* a gâi'r Clwb ddod i tŷ ni.

Disgynnais ar fy ngliniau (dwi'n enwog am hyn!).

"Plîs plîs, llond sach o plîs," dwedais.

Edrychodd Mam arna i'n begian fel ci bach ufudd ac ysgydwodd ei phen. "Wnei di ddim perswadio neb fel 'na," meddai hi.

Ond fe wnes i. Rhedais i'n syth at y ffôn a ffonio pawb.

"Popeth yn iawn ar gyfer heno. Clwb yn tŷ ni. Saith o'r gloch."

"Rwyt ti'n werth y byd mawr crwn cyfan," dwedais wrth Mam. "Fe fydda i'n forwyn fach i ti am byth. Fe wna i unrhyw beth i ti."

Dim ond gwenu wnaeth Mam a dal ati i wylio'r newyddion, ond dwedodd Dad, "Iawn, dau gwpanaid o de nawr a help gyda'r llestri am wythnos."

"Iawn," dwedais. "Chi'n haeddu fe."

Diolch byth am rieni trendi.

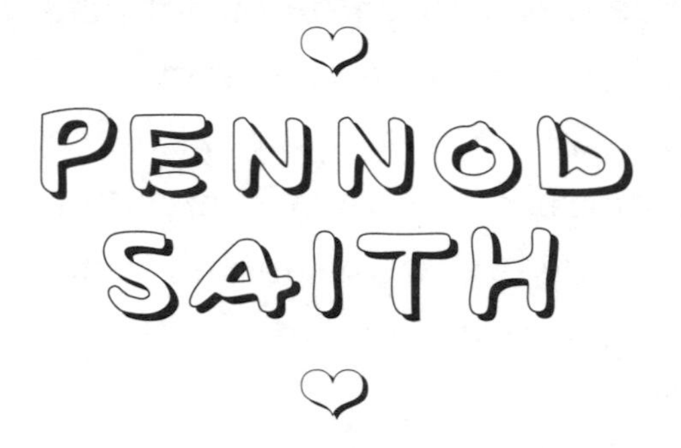

Dechreuodd Mam a Dad amau fod rhywbeth o'i le y noson honno, dwi'n meddwl, pan ofynnon ni am gael mynd i'r gwely'n gynnar. Fel arfer dwi'n begian am gael aros lawr yn hwyr i wylio fideo ar nos Wener. Mae gwylio fideo am hanner nos yn cŵl. Ond 'na fe. Mae rhai pethau'n fwy pwysig na fideos. Felly erbyn wyth o'r gloch roedden ni i gyd yn ein pyjamas yn siarad yn ddistaw bach yn y stafell wely.

Roedd Sam a fi'n gorfod rhannu gwely eto. Roedd Mel a Ffi yn y ddau wely bync. Sara oedd ar y gwely cynfas y tro hwn. Roedd hi'n edrych fel llipryn llwyd eto, ond doedd neb wedi sôn am y pwl o dymer wrth y gât. Roedd pawb yn teimlo'n od, achos roedden ni i gyd yn meddwl am y peth, ond doedd neb yn dweud gair. Roedd yn union fel petai eliffant yn sefyll yn y gornel a neb yn cymryd sylw.

"Iawn. Dewch i ni fwrw ati," meddai Ffi. Mae hi mor bòsi! "Pwy sy'n mynd i deipio?"

Dwi'n gwybod yn iawn beth fydd Ffi ar ôl tyfu lan: athrawes! Mae hi wedi cael digon o ymarfer.

"Fi," dwedais gan wasgu swits y cyfrifiadur. Tyrrodd y lleill o amgylch. "Iawn. Dwi'n barod," dwedais.

Syllon ni i gyd ar y sgrin wag.

"Annwyl Harri . . ." meddai Ffi. Yna fe eisteddodd hi'n ôl a gwên fawr ar ei hwyneb.

"O, dechrau da," dwedais i. "Mae Ffi wedi gwneud y gwaith caled i gyd."

"Dwi'n dy ffansïo di," meddai Mel. "Dere mas gyda fi."

"O, iych!" dwedais.

Ysgydwodd Sara ei phen. "Fyddai Nia byth yn dweud ffasiwn beth."

"Beth fyddai hi'n ddweud 'te, Sara-gwbod-popeth?" meddai Sam.

"Rhywbeth fel hyn: Dwi wedi dy weld ti o gwmpas yr ysgol: rwyt ti'n edrych yn ddyn neis."

"Rwyt ti'n edrych yn *ddyn neis*," meddai Sam mewn llais bach main. "Mae hynna mor pathetig. Dyw e ddim yn rhamantus o gwbl."

"Dyw e ddim yn *lyyyyfli*," meddai Mel gan ddechrau giglan. Ro'n i'n gweld fod y ddwy ohonyn nhw'n dechrau mynd dros ben llestri.

"Sh nawr," dwedais. "Mae Sara'n iawn. 'Sdim rhaid i ni sgrifennu lot o slwtsh. Fe sgrifenna i beth ddwedodd hi."

"Wedyn dwed ei bod hi'n hoffi canu gwlad," meddai Sara.

"O ie," meddai Ffi. "Mae hynny'n bwysig, Ali. Paid ag anghofio."

"Ocê. Dwi wedi dweud hynna. Be nesa?"

"Dwed: 'Hoffwn i fynd mas gyda ti. Beth amdani?'" meddai Sam.

Sgrifennais i: *'Hoffwn i fynd mas gyda ti.'* Fyddai Nia byth yn dweud "beth amdani"!

"Unrhyw beth arall?"

"Mae hynna'n ddigon, siŵr iawn," meddai Sara.

"Ond ble maen nhw'n mynd i gwrdd?"

"O flaen yr orsaf."

"Tu allan i'r siop tships."

"Gatiau'r parc."

"Dwed: 'Fe fydda i'n gwisgo rhosyn coch'," meddai Sam.

Roedd hi'n union fel sgrifennu stori. Gallen ni sgrifennu unrhyw beth. Falle byddai Harri'n ymateb i'r llythyr, ond roedd gyda ni un broblem bwysig heb ei datrys.

"Sut yn y byd ydyn ni'n mynd i gael Nia i ddod i gwrdd ag e?"

"Os ydyn ni'n gwbod bod Nia mewn rhyw fan arbennig, fe anfonwn ni Harri ati hi," meddai Sam—fel petai 'na ddim problem!

"Ond paid â dweud yr Adran. Fydd hi ddim eisiau cwrdd ag e yn yr Adran," meddai Ffi.

"Nac yn y banc," dwedais i.

"A fydd hi ddim eisiau'i weld e gartre yn y tŷ," meddai Mel.

"Ble arall mae hi'n mynd?" gofynnodd Sara.

"Mae hi'n siopa yn Tesco ar ddydd Sadwrn. Dwi wastad yn ei gweld hi pan fydda i'n mynd gyda Mam," meddai Ffi.

"O, am le *rhamantus*!" meddai Sam.

"Dere i gwrdd â fi o flaen y silffoedd sebon," meddai Mel.

"Ga i gusan ger y cownter caws?" meddai Sam. Maen nhw mor ddwl.

Chymerodd Sara ddim tamaid o sylw,

"Wyt ti'n meddwl y bydd Nia yno fory?" gofynnodd.

"Siŵr o fod," meddai Ffi.

"Dyw fory ddim gwerth. Dwi'n chwarae badminton," meddai Sam.

"Dwyt ti ddim yn chwarae yn y prynhawn," dwedais i.

"Wyt ti'n meddwl y bydd dy fam a dy dad yn fodlon mynd â ni?" meddai Ffi.

"Pob un ohonon ni?"

"Ie. Mae'n rhaid i ni i gyd fynd."

"Dwed wrthyn nhw ein bod ni'n gwneud cywaith ar gyfer yr ysgol," meddai Sam.

Wel, roedd hynny bron â bod yn wir, on'd oedd e? Ond doedd dim iws i fi ddweud mai testun y cywaith oedd Dêt! Roedd e'n achos da, ta beth.

Gorffennais i'r llythyr: *Fe fydda i'n siopa yn Tesco brynhawn dydd Sadwrn. Wela i di yno.*

"Beth alla i roi ar ddiwedd y llythyr?"

"'Cariad mawr a mil o swsys,'" meddai Sam. Mae hi'n mynd yn ddwlach bob dydd.

"Dy anwylaf gariad, Nia," awgrymodd Ffi.

Ond doedden ni ddim yn siŵr sawl 'n' oedd yn anwylaf, felly fe sgrifennon ni: *Lot o gariad oddi wrth . . .* Wedyn fe brintiais i'r llythyr ac fe roddodd Sam sgwigl fawr ar y gwaelod.

"Beth yw hwnna?"

"Nia."

"Pwy sy'n mynd i allu darllen hwnna?"

"Neb," meddai Sam. "Does neb byth yn gallu darllen llofnodion."

"Bydd e'n gallu darllen y llythyr, dyna sy'n bwysig," cytunodd Mel.

"Pryd ydyn ni'n mynd i roi'r llythyr i Harri?" gofynnodd Sara.

"Fe awn ni draw ag e bore fory," dwedais i.

"Alla i ddim," meddai Sam. "Badminton."

"Dwi'n gorfod gwarchod Twm," meddai Mel. Twm yw ei brawd bach. "Galla i ddod ar ôl cinio."

"Iawn. Bydd rhaid i *ni* fynd ag e," dwedais i wrth Ffi a Sara. "Gallwn ni fynd â Pepsi am dro heibio'r tŷ."

Erbyn hyn roedd Mam wedi dod i ofyn a oedden ni eisiau diod a bisged. Roedd hi'n edrych yn amheus iawn arnon ni. Roedden ni'n rhy dawel o lawer. Felly fe gawson ni hanner awr o chwarae dwli cyn mynd i'r gwely: ti'n gwybod be dwi'n feddwl, tair rownd o *Gladiators,* ac fel arfer fe ddechreuodd Mel igian.

"Nawr 'te, golau mas," meddai Dad. "Nos da. Cysgwch glou. Gwyliwch rhag i'r bleiddiaid gnoi."

"Bleiddiaid?" Chwarddodd Ffi.

"Bleiddiaid maw-aw-awr," udodd Dad. Wir, mae e'n codi cywilydd arna i ambell waith.

Pan oedd Dad wedi mynd lawr stâr a ninnau'n gorwedd yn y tywyllwch, meddai Sara, "Diolch am roi gwahoddiad i fi ar ôl i fi wrthod gadael i chi ddod i'r tŷ."

"Mae'n iawn," meddai Mel. "'Sdim ots gyda ni."

"Na," meddai'r lleill. "Nid dy fai di yw e."

I raddau doedd dim ots gen i chwaith. Ro'n i'n dod i hoffi Sara. Roedd gyda hi syniadau da ac roedd hi'n ddoniol, ond hefyd roedd yna egwyddor.

Cyfreithwyr yw Mam a Dad ac maen nhw wastad yn sôn wrtha i am egwyddorion. Os ydych chi'n cytuno ar rywbeth, rhaid i chi gadw at y cytundeb. Er enghraifft, os ydw i'n dweud 'mod i'n mynd i osod y ford bob nos neu olchi'r llestri bob dydd Llun a dydd Mercher, dylwn i gadw at hynny. Neu os ydw i'n mynd yn gas pan fydd Dad yn torri ar draws *Rownd a Rownd*, ddylwn i ddim torri ar ei draws e pan fydd e'n gwylio'r newyddion. Felly os ydyn ni eisiau bod yn aelod o'r Clwb Cysgu Cŵl a chysgu yn nhai pobl eraill, fe ddylen ni hefyd adael i bawb arall gysgu yn ein tŷ ni. Mae hynna'n deg, on'd yw e?

Felly dwedais i, "Ond dwi ddim yn deall pam na allwn ni gysgu yn dy dŷ di, os yw dy fam yn fodlon."

"O, Ali," meddai'r lleill. "Mae hi wedi dweud pam."

"Achos bod ei stafell hi'n anniben? Dyw hi ddim wedi gweld stafell Sam eto."

"O, diolch yn dalpe," meddai Sam.

Dwedais, "Ti'n gwbod be dwi'n feddwl." Mae Sam yn enwog am ei hannibendod. Mae hi'n gyrru ei chwaer yn bananas.

"'Sdim ots am y papur wal," meddai Sam. "Dyw hynny'n poeni dim arna i."

“Na finne,” meddai Mel. “Os cawn ni hwyl, beth yw’r ots?”

Ddwedodd Sara ddim gair am sbel, yna dwedodd hi, “Wel, os ydych chi’n siŵr, fe ofynna i i Mam.”

Ieee, gôl i fi, meddyliais! Ond ddwedais i ddim gair a ddwedodd neb arall air chwaith. A dweud y gwir roedd y tawelwch braidd yn sbwci, felly roedd pawb yn falch pan ddwedodd Ffi, “Ydy hi’n bryd i ni gael ein gwledd?”

“Ydy!” dwedais. “Be sy gyda ni? *Fizzers* riwbob ac afal. Bril!”

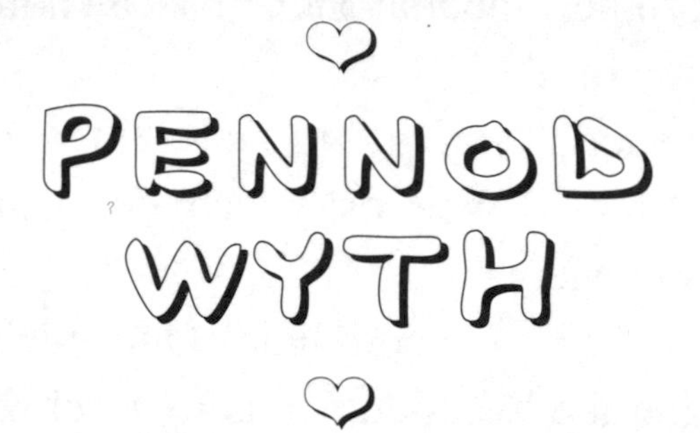

Fore trannoeth, yn syth ar ôl deffro, es i mewn i stafell Mam a Dad. Roedd y ddau wedi dihuno, yn eistedd lan, ac yn darllen y papurau dydd Sadwrn fel arfer.

"Paned o de?"

"Wedi cael un, diolch," meddai Dad. "Trueni na godest ti ddeg munud yn ôl."

"Cer i agor y drws i Pepsi yn lle 'ny," meddai Mam.

"Dim prob," dwedais i. "Fe a' i â hi mas am dro yn nes ymlaen. Unrhyw beth arall? Brecwast yn y gwely? Llond bowlen o gornfflêcs? Darn o dost? Brechdan gig moch?"

Ro'n i wedi mynd dros ben llestri, dwi'n siŵr, achos fe syllodd y ddau arna i dros ymyl eu sbectol.

"Beth wyt ti eisiau?" meddai Mam.

"Dim," dwedais i yn fêl i gyd. "Dim ond eisiau helpu."

"Alwen? Dwed y gwir."

"Beth wyt ti eisiau?"

"Allwch chi fynd â ni i'r archfarchnad, chi'n meddwl?"

"Y pump ohonoch chi?" meddai Mam.

"I beth dda?" meddai Dad.

"I arbed amser. Fe allen ni helpu."

"Arbed amser?" meddai Dad. "Fe gymerith bum gwaith mwy o amser i fi."

"O, Dad, plîîîîîs. Mae'n bwysig. Mae'r pump ohonon ni'n gweithio ar gywaith. Rydyn ni eisiau edrych ar . . . brisiau."

"Wel, mae hynny'n wahanol," meddai Dad.

"Pam na ddwedest ti hynny yn y lle cynta?" meddai Mam. "Gorau arf gwirionedd, cofia. Dwed ti'r gwir ac fel arfer fe gei di beth wyt ti eisiau."

Wel, roedd arna i gywilydd. Dwi'n casáu dweud celwydd wrth Mam a Dad. Mae'n gwneud i fi deimlo'n sâl. Mae Mam yn iawn: os gofynna i am rywbeth yn blwmp ac yn blaen, fel arfer maen nhw'n cytuno. Ond roedd hwn yn fater gwahanol. Petawn i'n dweud yr holl hanes wrthyn nhw, fydden nhw byth, byth yn cytuno. Felly doedd gen i ddim dewis, oedd e?

Pan es i'n ôl i'r stafell wely, roedd hi'n syndod o dawel. Yn sydyn cododd pawb eu pennau a lluchio'u gobenyddion ata i.

"Stopiwch hi!" gwaeddais. "A pheidiwch byth â gofyn i fi wneud ffafr â chi eto." Ro'n i'n eistedd ar y llawr yng nghanol y gobenyddion.

"Be ddwedon nhw?" gofynnodd Sam.

"Popeth yn iawn, wrth gwrs," dwedais i.

"Ffab-o!"

"Gôl!' meddai Sam.

"Ali yw'r gorau," meddai Mel.

"Hm," dwedais i'n gas. A wnes i ddim codi 'nghalon nes i bawb lyfu 'nhraed a dweud 'mod i'n seren. "'Na welliant," dwedais.

Ar ôl brecwast daeth mam Sam i'w chasglu a mynd â hi i'r badminton ac fe aeth â Mel adre ar yr un pryd.

"Allan nhw ddod 'nôl prynhawn 'ma i ni gael mynd i'r archfarchnad?" gofynnais.

"Rydyn ni'n gwneud cywaith siopa yn yr

ysgol ac yn gorfod casglu gwybodaeth," meddai Sam.

"Cymharu prisiau," meddai Ffi.

"A chwilio am y bwydydd rhataf," meddai Mel.

Yn sydyn roedd un celwydd bach wedi troi'n stori fawr. Ro'n i bron â'i chredu fy hunan!

Aeth Ffi a Sara a fi â Pepsi am dro ar hyd y ffordd sy'n arwain i'r ysgol. Roedd y llythyr yn llosgi twll yn fy mhoced. Ro'n i bron â marw eisiau cael gwared arno fe. Ro'n i'n teimlo'n eitha nerfus, ond ddwedais i ddim gair achos roedd Ffi nawr mewn panig. Bob yn hyn a hyn roedd hi'n stopio ar ganol y palmant â'i gwynt yn ei dwrn.

"Beth os nad yw e gartre?" meddai.

"Fe wthiwn ni'r llythyr drwy'r twll llythyrau," meddai Sara.

"Beth arall wyt ti'n ddisgwyl i ni wneud?" dwedais wrth Ffi.

Fe gerddon ni gam neu ddau ac fe stopiodd hi eto.

"Ond wedyn sut byddwn ni'n gwbod a yw

e wedi cael y llythyr? Falle agorith e mo'r llythyr tan y prynhawn 'ma. Beth os yw e wedi mynd mas? Beth os yw e'n sâl? Neu wedi mynd ar ei wyliau?"

"Beth os oes dynion o'r gofod wedi'i gipio fe?" awgrymais i.

"Beth os ydy o wedi troi yn gi yn y nos?" meddai Sara.

"Ci?" meddai Ffi yn syn.

"Jôc," dwedais i. "Jôc oedd e."

"Wel, doedd e ddim yn ddoniol," meddai Ffi.

Ond roedd Sara a fi yn chwerthin dros y lle.

Pan gyrhaeddon ni dŷ Harri, aeth nerfau pawb yn rhacs. Doeddwn i ddim yn siŵr p'un oedd y tŷ iawn. Mae pob tŷ ar y stryd yn edrych 'run fath. Mynnodd Ffi mai rhif 37 oedd y tŷ iawn, y tŷ â'r drws gwyrdd, ond ro'n i'n meddwl mai'r tŷ drws nesa ond un oedd e, y tŷ â'r drws du.

Safon ni ar y palmant gyferbyn gan obeithio y byddai Harri'n dod mas neu'n edrych drwy'r ffenest. Ond wnaeth e ddim. Ar ôl pum munud ro'n i'n siŵr fod pawb yn y stryd yn sbecian drwy'r llenni arnon ni, neu—gwaeth fyth!—yn ffonio'r heddlu. Ac yna fe gofiais i rywbeth.

"Does dim car gyda Harri," dwedais. Roedd 'na gar o flaen rhif 37.

"Falle bod rhywun wedi galw i'w weld e," meddai Ffi. Mae'n gas gan Ffi golli dadl.

Felly dwedodd Sara, "Beth am guro ar y drws a gofyn?"

"Dw i ddim," meddai Ffi.

"Alla i ddim. Mae'r ci gyda fi," dwedais i. "Falle bydd hi'n chwyrnu arno fe." Edrychodd y ddwy arall arna i. Anaml iawn mae Pepsi'n chwyrnu. Hen gariad fach yw hi.

"O, mi a' i," meddai Sara. Heb ffwdan. Fe gydiodd hi yn y llythyr a chroesi'n syth at y tŷ. Curodd ar y drws ac aros. Edrychodd dros ei hysgwydd a gwenu. Chwifion ni arni. Roedd hi'n arwres!

Ond ddigwyddodd dim byd. Felly fe gurodd hi eto, ac aros am oesoedd. Y tro hwn pan edrychodd hi arnon ni, doedd hi ddim yn gwenu. Wedyn rhaid ei bod hi wedi clywed rhywun yn dod, achos dyma hi'n gollwng y llythyr ar garreg y drws a rhedeg nerth ei thraed. Felly fe redon ni hefyd i lawr yr hewl fel petai Draciwla ar ein holau.

Ond pan oedden ni'n ddigon pell i ffwrdd, stopiais ac edrych yn ôl. Roedd Harri'n sefyll yn y drws yn ei byjamas. Ysgydwodd ei ben a gwenu. Codais fy llaw arno a rhedeg i ddal y lleill. Roedd y llythyr wedi cyrraedd y nod.

Ar y ffordd i'r archfarchnad, eisteddais i tu blaen gyda Dad a dringodd y lleill i gefn y car stad. Edrychodd Dad dros ei ysgwydd.

"Does dim llawer o offer gyda chi. Dim clipfwrdd na dim?"

"Mae'n iawn." Chwifiais fy llyfr nodiadau o dan ei drwyn. "Fe sgrifenna i bopeth i lawr, wedyn fe gaiff pawb arall gopïo ddydd Llun."

"Rwyt ti'n gymwynasgar iawn," meddai Dad.

Pan gyrhaeddon ni'r siop, dwedodd Dad, "Peidiwch â mynd mas o'r siop hebdda i. Mae'n brysur iawn, felly cadwch o ffordd y siopwyr. Dewch i gwrdd â fi ar bwys y til 'mhen awr. Pwy sy â wats?"

Cododd pawb eu dwylo, yn union fel petaen ni yn yr ysgol.

"Iawn," dwedais. "Pawb i edrych ar eu watsys."

Meddai Dad, "Mae'n 2.05 yn union."

Syllodd Mel ar ei wats. "Ydy hynny'n golygu bod y bys mawr cyn neu ar ôl dau?" gofynnodd.

"Ar ôl!" meddai Sam.

"O, Mel," dwedais i. "Pryd wyt ti'n mynd i ddysgu dweud yr amser?"

"Nid fy mai i yw e. Bai'r wats."

Mi fyddai Mel yn cael gwell hwyl arni petai gyda hi wats ddigidol fel pawb arall, ond bob tro mae hi'n edrych ar wats, mae ei brêns hi'n mynd ar stop. Mae hi wastad yn dweud, "Beth yw'r ots faint o'r gloch yw hi?"

Chwarddodd Dad a cherdded i ffwrdd. "Cofiwch, dim dwli. A pheidiwch â thorri dim byd. Dwi ddim eisiau cael bil. Deall?"

Gwenodd pawb a nodio. Wrth gwrs ein bod ni'n deall. Ond haws dweud na gwneud.

Penderfynon ni chwalu a chymryd eil yr un i weld a welen ni Harri neu Nia. Ces i Bwyd Anifeiliaid a Nwyddau Golchi. Allwn i ddim credu faint o bobl oedd yno ar brynhawn

Sadwrn ac roedd yn edrych yn debyg fod pawb eisiau bisgedi cŵn a siampŵ. Roedden ni i gyd yn chwifio ar ein gilydd ac yn ysgwyd ein pennau, wedyn yn mynd yn ôl ar hyd yr un eil, rhag ofn i ni eu colli nhw.

Ar ôl tua chwarter awr es i i gasglu'r lleill, ond bob tro ro'n i'n cyrraedd pen fy eil i, roedd y lleill yn troi ac yn diflannu o 'ngolwg i. Ro'n i bron â drysu—fel mam sy'n gofalu am bedwar plentyn drwg.

"Iawn, dewch i ni i gyd aros gyda'n gilydd," dwedais.

"Ocê, Mam," meddai Sam yn wên o glust i glust.

Gwelson ni sawl un o'n ffrindiau gyda'u mamau, ond doedd dim sôn am Nia'r Urdd. Ond fe gwrddon ni ag Anti Mai, yr un sy'n helpu yn yr Adran ac yn perthyn i Ffi.

"Beth wyt ti'n wneud fan hyn?" gofynnodd i Ffi.

"Helpu tad Ali," meddai Ffi gan edrych braidd yn euog.

"Pump ohonoch chi'n helpu? Ydy e'n prynu llond tŷ?"

"Ydych chi wedi gweld Nia?" gofynnais.

"Roedd hi'n parcio ei char pan ddes i i mewn. Pam?"

"Dim rheswm," meddai Ffi.

"Mae efo ni neges iddi," meddai Sara.

"Oddi wrth Mam," dwedais i'n frysiog.

"Wel, mae hi yma'n rhywle. Nawr bydd di'n ferch dda," meddai wrth Ffi. "Gwna'n union beth mae Mr Tomos yn ddweud wrthot ti."

Tra oedden ni'n siarad ag Anti Mai, roedd Sam a Mel wedi crwydro i ffwrdd.

"Ble maen nhw wedi mynd?" gofynnais i Sara.

"Dim syniad," meddai hi.

"Wel, dere i chwilio amdanyn nhw. Wedyn rhaid i ni i gyd aros gyda'n gilydd."

Roedd Nia yn y siop yn rhywle, felly roedden ni'n siŵr o ddod ar ei thraws cyn bo hir. Doedden ni ddim wedi gweld Harri eto. Dim ond croesi'n bysedd a gobeithio. Ond allen ni ddim cael gafael ar Sam a Mel yn unman a ro'n i'n dechrau gofidio.

Ddwedais i ddim gair, ond weithiau pan mae'r ddwy yna gyda'i gilydd, maen nhw'n mynd yn hollol bananas. Gobeithio na fyddai hynny'n digwydd yn y siop. Ond, pan safon ni ar ben yr eil Gwin a Chwrw, gwelais i rywbeth a wnaeth i 'ngwallt i godi.

Roedd Mel yn gwthio troli ar ras i lawr yr eil. Gwaeth fyth—roedd y troli'n llawn—yn llawn o Sam.

Rhuthron ni ar eu holau. Ond cyn i ni fynd yn bell, fe stopion ni'n stond. Roedd Harri'n cerdded i lawr yr eil tuag aton ni.

Roedd e'n edrych yn wahanol iawn. Roedden ni'n gyfarwydd â'i weld e mewn oferôls neu ddillad gwaith. Ond nawr roedd e'n edrych yn ddelach nag erioed. Wir, roedd e'n edrych fel hync. Roedd e'n gwisgo siaced ledr a jîns a sgidiau lledr du. Roedd e'n cario basged, ond dim ond dau dun oedd ynddi.

Roedden ni'n cuddio y tu ôl i deulu â throli lwythog yn methu penderfynu p'un ai rhedeg ato a dweud helô neu ddianc i ffwrdd. Pwy ddaeth rownd y gornel ond Nia. Doedd ond un peth i'w wneud. Drwy lwc doedden nhw ddim wedi'n gweld ni.

"Dewch glou," dwedais. "Ffordd hyn."

Dyma fi'n mynd wysg fy nghefn i lawr yr eil gyda Ffi a Sara'n dilyn.

"Ife Harri oedd hwnna?" gwichiodd Ffi gan estyn ei gwddw. Cydiais yn ei braich a'i llusgo'n ôl.

"Ie," hisiais fel neidr. "Paid â bod mor dwp."

"Oedd Nia yno hefyd?" gofynnodd Sara.

"Oedd, ond y cwestiwn pwysig yw: ble mae Sam a Mel?"

Yn sydyn fe gawson ni'r ateb—sŵn clec enfawr o'r eil nesaf.

Nid sŵn malu oedd e. Petaen nhw'n boteli gwydr, fe fydden nhw wedi malu. Sŵn bowlio deg oedd hwn, sŵn tua dau gant o sgitls plastig yn disgyn i'r llawr. Roedd pentwr mawr o boteli dŵr wedi cwympo. Glaniodd y pentwr ar lawr yr eil a rholio i bob cyfeiriad.

Pwy oedd wedi eu bwrw nhw i lawr? Doedd dim rhaid bod yn glyfar i wybod yr ateb. Roedd y siop yn un enfawr. Gobeithio fod Dad ymhell bell i ffwrdd.

Pan aethon ni rownd y gornel, roedd pobl yn codi poteli o bob man. Yn eu canol roedd Sam a Mel, a'u hwynebau'n biws fel bitrwt, yn gwneud eu gorau i roi'r pentwr yn ôl at ei gilydd. Roedd un neu ddwy botel wedi ffrwydro a llifai afon ewynnog i lawr yr eil. Daeth bachgen gofidus i'r golwg â mop yn ei law.

Roedd fy mhen i bron â ffrwydro hefyd. Ro'n i'n meddwl am Harri a Nia'r Urdd yn yr eil nesaf. Beth petaen nhw'n cerdded i ganol y llanast? Gwaeth fyth, beth petai Dad yn dod rownd y gornel ac yn ein gweld ni?

Rhuthrodd Ffi a Sara a fi i godi'r poteli, ond erbyn hyn roedd y rheolwr wedi cyrraedd. O'r badell ffrïo i'r tân, meddyliais. Mae ar ben arnon ni. Ond wnaeth y rheolwr ddim holi sut oedd y pentwr wedi cwympo—dim ond mynd ati fel lladd nadroedd i glirio'r cawdel. Fe gymerodd y poteli o'n dwylo a'n gyrru i ffwrdd. Diflannon ni ar ras cyn iddo newid ei feddwl.

"Rydych chi'ch dwy'n rhy lwcus i fyw!" dwedais.

"Nid ein bai ni oedd e, ife?" meddai Sam wrth Mel. "Damwain oedd e." Ond doedd neb yn eu credu, achos roedd y ddwy'n giglan.

"Dewch mla'n," dwedais. "Maen nhw draw fan'na." Pwyntiais at yr eil nesaf. Ble oedden nhw? Wedi mynd!

"Ffordd hyn," dwedais. "Dilynwch fi. Pawb gyda'n gilydd."

Aethon ni o eil i eil gan sbecian rownd y corneli nes i ni eu gweld nhw.

Roedd Nia'n darllen y rhestr gynhwysion ar botelaid o saws pasta. Roedd Harri'n siarad ag un o blant bach y Dosbarth Derbyn a'i fam a'i fam-gu. Ond wedyn dyma fe'n troi ac yn cerdded tuag aton ni—ac yn syth at Nia.

"Glou!" dwedais. Ac fe sleifion ni y tu ôl i bentwr o duniau ffa pob. "Os bydd un ohonoch chi'n taflu'r tuniau 'ma lawr," rhybuddiais, "dyna'ch diwedd chi!"

Roedd Harri wedi stopio yn ymyl Nia ac yn aros iddi symud er mwyn iddo fe gael estyn am y saws pasta.

"On'd ydyn nhw'n bâr bach neis?" sibrydodd Ffi.

"Mae'r ddau ohonyn nhw'n hoffi'r un saws pasta," sibrydodd Sara.

"Oooooo, 'na neis," meddai Mel.

"Mora rhamantus!" meddai Sam mewn acen Eidalaidd ddwl.

"Shhh!" dwedais. Ro'n i'n dwlu o ofn y bydden nhw'n clywed, yn troi ac yn ein gweld ni'n syllu arnyn nhw.

Yn sydyn sylweddolodd Nia ei bod hi yn ffordd Harri. Gwenodd arno, symudodd i ffwrdd ac arhosodd i edrych ar ei rhestr negeseuon. Roedd ei throli'n llawn ac roedd hi'n croesi popeth allan. Roedd hi bron â gorffen siopa. Dyma'n cyfle olaf.

"Beth allwn ni wneud?" meddai Ffi.

"Dim syniad," dwedais.

Roedd Harri'n anelu amdanon ni. Felly dyma Sam a fi'n codi'n pennau, codi llaw a phwyntio at Nia.

Stopiodd Harri ac edrych yn syn. Fe bwyntion ni eto a'r tro hwn fe edrychodd yn ôl. Pan welodd e Nia, syllodd e arnon ni â'i ben ar dro, ac yna fe bwyntiodd e ati hefyd. Codon ni i gyd ein pennau a nodio.

Gwenodd Harri a mynd yn ôl at Nia. Allen ni ddim clywed gair—roedden ni'n rhy bell i ffwrdd—ond fe groeson ni fysedd ein dwylo a'n traed. Ro'n i'n crynu cymaint, allwn i ddim anadlu. Wn i ddim am y lleill.

Roedd Nia'r Urdd yn edrych yn syn iawn. Edrychai Harri fel petai e'n dweud jôc wrthi ond doedd hi ddim yn deall y jôc. Roedd golwg ddifrifol iawn arni, ond yna'n sydyn goleuodd ei hwyneb. Nodiodd Harri tuag aton ni a throdd Nia ei phen.

Swatiodd pawb y tu ôl i'r tuniau, ond dwi'n meddwl ei bod hi wedi'n gweld ni. Yna fe ddechreuodd hi ysgwyd ei phen fel petai hi'n methu credu gair. Roedden nhw *wedi* bod yn siarad yn dawel bach, ond roedd y geiriau nesaf yn glir fel cloch.

"Dwi *ddim* yn chwilio am gariad. Llythyr? Wnes i ddim sgrifennu llythyr."

Aeth pethau o ddrwg i waeth. Tynnodd

Harri'r llythyr allan a'i ddangos iddi. Pan ddarllenodd Nia'r llythyr, fe ffrwydrodd fel roced i'r gofod.

Arhoson ni ddim i weld be ddigwyddodd nesa, achos fe gofiais yn sydyn am Dad. Edrychais ar fy wats.

"Mae wedi chwarter wedi tri," sgrechiais. "Dewch mla'n." I ffwrdd â fi ar ras gyda'r lleill yn gwibio ar fy ôl i rhwng y troliau. Pan gyrhaeddon ni'r til, roedd Dad yn disgwyl a'i wyneb fel taran.

Codais fy nwylo. "Mae'n ddrwg gyda ni, wir, wirioneddol, o waelod ein calon."

"Aethon ni ar goll," meddai Sam.

"Ar gyfeiliorn," meddai Ffi.

"Anghofion ni'r amser," meddai Mel.

"Dim rhagor o esgusodion," meddai Dad gan anelu am y drws.

Rhedon ni ar ei ôl. Feiddien ni ddim edrych yn ôl rhag ofn bod Nia ar ein sodlau. Fe dorron ni record am helpu Dad i lwytho'r bwyd i gefn y car. Wedyn fe neidion ni i mewn a chadw'n pennau i lawr. Ddwedodd neb air o'u cegau.

Aethon ni â'r lleill adre. Sam oedd yr olaf.

Wrth i ni yrru i ffwrdd, fe gododd ei bawd i ddymuno lwc i fi. Byddai angen lwc arna i—ro'n i'n siŵr o hynny.

Ac ro'n i'n iawn!

A dyna i ti'r stori i gyd. Doedden ni ddim yn disgwyl i bethau fynd o chwith. Dim ond eisiau helpu oedden ni. Paid ti â symud cam o'r tŷ, meddai Mam. Ac nid fy mai i oedd e. Ond 'na fe. Fel mae Mam-gu'n dweud, dyw bywyd ddim yn deg.

Hoffwn i fod yn bryfyn bach ar wal ein stafell fyw ni y funud hon. Hoffwn i glywed Nia'n dweud ei fersiwn hi o'r stori. Ond na, hoffwn i ddim, siawns.

Mae'n drueni mawr yn fy marn i. Roedd hi a Harri'n bâr bach mor neis.

O-o. Beth oedd hwnna? Y drws ffrynt yn cau? Glou, dere i edrych drwy'r ffenest, ond paid â gadael iddi dy weld di, beth bynnag wnei di. Ie, Nia'r Urdd yw hi. Diolch byth ei bod hi wedi mynd. Os yw hi wedi dweud y cyfan wrthyn nhw, mae hi'n nos arna i.

"Alwen! Dere lawr fan hyn. *Ar unwaith!*"

O-o! Ydy'r diwedd wedi dod? Diwedd y Clwb Cysgu Cŵl? Diwedd Alwen Mair Tomos, falle? Wel, gweddïa drosta i.

Ta ta. Ffarwél. *Au revoir* (Ffrangeg yw hwnna —i ti gael gwybod). *Arrivederci* (Eidaleg).

Clyfar neu be? Galla i ddweud helô a hwyl fawr mewn pump o ieithoedd gwahanol. Dad-cu ddysgodd fi pan es i draw i aros y tro diwetha. Nawr, beth yw'r gair Sbaeneg . . ?

"Alwen! *Ar unwaith* ddwedes i."

"Dod, Mam!"

Gwell i fi fynd. Croesa dy fysedd drosta i. Wela i di!